KB103731

언제까지나 너와

언제까지나 너와

발 행 | 2023년 12월 08일

저자 | 황규원

펴낸이 | 한건희

펴낸곳 | 주식회사 부크크

출판사등록 | 2014.07.15.(제2014-16호)

주소 | 서울특별시 금천구 가산디지털1로 119 SK트윈타워 A동 305호

전 화 | 1670-8316

이메일 | info@bookk.co.kr

ISBN | 979-11-410-5832-6

www.bookk.co.kr

언제까지나 너와

황규원 산문집

차례

머리말

책을 좋아하는 나의 엄마의 영향으로 어려서부터 좋은 책들을 많이 접해왔다.

엄마가 읽어줬던 책들, 그 책들 덕분에 책은 즐거운 기억으로 일찌감치 자리 잡았다. 그 책들을 읽으며 작가들은 어떻게 이런 글을 썼을까 했는데, 그 입장 이 되니 마음이 마냥 가볍지만은 않다.

누가 내 글을 읽어 줄란지, 얼마나 팔릴진 잘 모르겠으나 그냥 즐겨 보려 한다. 나와 내가 사랑하는 이들, 사랑하는 것들의 이야기로 이

책을 가득 채워보았다. 지금의 나를 만들어준 엄마에게 이 책을 바친다. 모두가 내 책을 읽는 그날까지, 다들 행복하기를 진심으로 바란다.

사랑했던 이와 사랑하는 이들과 사랑하게 될 모든 이들에게

-2023의 황규원

봄이 오면

마스크를 써도
마음만은 가볍게

봄봄봄…. 봄 하면 벚꽃 연금을 받을 가수들이 먼저 떠오른다. 로이킴, 장범준 등등 많은 가수가 있지만, 장범준의 노래는 경험한 적도 없는 그녀와 가슴 설레는 벚꽃 나들이를 떠오르게 한다. 정작 현실은 비참하지만, 벚꽃엔딩의 하이라이트를 들을 때면 되지도 않는 꿈에 잠긴다.

봄이 낭만적인 계절이라고 생각하는 사람이 있겠지만

나에게 봄은 여름만큼 반가운 계절은 아니다. 애매하게 후덥지근한 날씨, 가끔 찾아오는 꽃샘추위는 나를 지치게 한다.

흩날리는 벚꽃은 눈으로 보기는 예쁘지만, 정작 알레르기 기운이 있는 나로서 꽃가루는 취약이다. 봄철 단골손님인 비염과 감기는 내가 봄을 싫어하게 하는 주된 이유다.

그래도 봄의 향기는 언제나 반갑다. 아침에 일어나 처음 맡는 공기의 향이 달다는 건 얼마나 좋은 일인지 모른다. 기후 위기가 심각하다고들 아직은 사계절이 남아 있으니까, 향도 여전하다. 매년 맡는 향이라 지겨울 만도 하지만 매번 새로운 건 신기할 따름이다.

겨우내 얼어있던 얇은 옷들을 꺼내 장롱에 밀어 넣는다. 창문을 열고 불어오는 바람에 생기를 느낀다. 이렇게 살아있음을 느낀다. 미세먼지 때문에 아직은 바람이 영 답답하지만, 이렇게라도 해서 살아있음을 느껴야 한다. 찬 기운을 막으려 틀던 히터는 답답하기만 하다. 생기는 개뿔, 히터를 계속 틀면 오히려 죽어가는 기분이다. 건조한 것을 싫어하는 나에겐 최악이다.

날이 점점 따뜻해지지만 도리어 찬 음식보다는 따뜻한 음식이 좀 더 끌린다. 원체 찬 음식을 좋아하는 나지만 환절기인 요즘의 찬 음식은 당장 혀는 즐겁지만 먹고 나면 남는 건 기침뿐이다. 찬 음식은 따뜻한 음식이 가지는 여운이 없다.

비를 그다지 좋아하진 않지만, 봄비는 정말 반갑다. 봄비가 오면 목련이나 벚꽃같이 그 자체로 봄을 나타내는 것들은 쉬이 져버린다. 그렇지만 비 온 다음 날엔 정말 상쾌하다. 봄비가 내게 줄 수 있는 사소한 행복이다.

봄비가 오고 나면 공기 중 먼지는 모두 내려앉는다. 먼지와 함께 벚꽃도 내려앉는다. 아쉽지만 뭐, 어쩔 수 없다. 아름다운 것, 사랑했던 사람 모두 다 쥐고 있을 순 없는 거다.

어디선가 들었는데 욕심을 내려놔야 한다고, 욕심은 만 악의 근원이라고 했다. 맞다. 우린 좀 더 여유를 가져야 한다. 삶이 아무리 퍽퍽해도 화창한 날 강변에서 자전거 타는 여유 정도는 가질 수 있다고 믿고 싶다. 모두가 아니라 해도 나만은 그게 옳다고 믿고 싶다.

과일 하면, 딸기

하나만

더

봄엔 딸기, 여름엔 수박, 가을엔 감, 겨울엔 귤, 지금도 그렇지만 어려서부터 과일을 무척 좋아했다. 과일 싫어하는 사람이 어디 있느냐고? 그 말도 맞다. 한데 난 유별나게 좋아했다. 어렸을 땐 양 볼이 꽉 차게 딸기를 먹으면서도 양손에도 쥐고 있는 그런 아이였다. 오죽하면 엄마가 과일 먹는 만큼 밥 먹으면 얼마나 좋을까…. 그랬을까.

그만큼 내게 과일은 정말 특별한 존재다. 어렸을 때 먹던 것 중 지금도 꾸준히 먹는 게 많지 않은 것 중 하나다. 수많은 과일, 거의 다 좋아하지만 그중 딸기는 내게 엄청난 의미가 있다. 귤처럼 껍질 까야 하지도 않고 레몬처럼 아주 시지도 않고 수박처럼 씨가 많지도 않다. 거기 다가 매우 뛰어난 맛까지, 사실상 완벽하다. 쉽게 물러지는 게 단점이지만 그 정도쯤이야. 딸기가 가지고 있는 모든 장점으로 커버할 수 있다. 빨갛고 영롱한 그 존재, 상상만 해도 행복하다.

옛날엔 딸기를 봄철에만 먹을 수 있었다는데 다른 계절은 어떻게 버텼나 모른다. 요즘은 비닐하우스도 있고 해서 봄철이 아니어도 딸기를 쉽게 먹을 수 있지만, 제철 과일 만 한 게 또 없다. 겨울딸기는 제철 과일 특유의 상큼하고 깔끔한 맛이 없다. 말 그대로 2% 모자란 맛이다.

태권도 도장이었던가, 언제 한번 봄에 딸기를 직접 따러 간 적이 있었는데 그때 기억이 생생하게 난다. 싱싱하고 싱그러운 딸기, 따자마자 바로 입에 넣었던 기억이 어렴풋이 떠오른다. 세상을 다 가진 기분이었다.

아마 그때 난 어른이 되어 딸기밭을 통째로 사야지 하는 막연한 꿈을 꿨을 거다. 어른이 되어도 그 꿈은 못 이루겠지만, 거창한 것이 아니어도 월급날 딸기 한 팩 정도 나에게 선물할 수 있는 그 정도의 여유를 가진 멋진 어른이 되고 싶다.

삶은 음악

Life is

music.

노래에 대한 취향이 슬슬 잡혀갈 때부터 그랬다. 한 노래에 꽂히면 주야장천 질릴 때까지 줄곧 그 노래만 듣곤 했다.

그 시작은 영화 보헤미안 랩소디가 갓 개봉했을 때다. 퀸 노래에 꽂혀 온종일 듣고 가사를 받아써 외우곤 했었다. 벌써 5년이 다 되어 가지만 그 가사들은 내 머릿속에 남아 그 시절을 선명히 떠올리게 한다.

중1 때는 사춘기가 온 건지 괜히 힙합에 꽂혀선 힙합 노래만 다양하게 매일 오래 들었다. 그때 들은 노래들은 지금 나에게도 엄청난 영향을 끼쳤다. 그때 들은 노래들, 아직 난 즐겨듣고 그 노래들로 그 시절을 추억하곤 한다. 그때 흘린 눈물들도, 딱히 아름답진 않은 기억들도 노래로 떠올리면 마냥 즐거웠던 것만 같다.

중2 때는 색다른 음악에 꽂혔다. 그때도 여전히 내 플레이 리스트는 힙합이 주였지만 록이라는 색감이 칠해지고 있던 때였다. 구체적으로 말하면 그린데이였다. 그린데이의 주 활동 시기는 내 세대와는 상당한 거리감이 있다. 그런데도 그들의 노래를 처음 들었을 때부터 거부감은 들지 않았다. 내 속의 뭔가가 불타오르는 느낌, 서서히 천천히 그리고 또 부드럽게 내 삶에 녹아내려 흡수되었다.

중3 때는 플레이 리스트에서 록의 범주를 넓혀갔다. 그린데이도 여전히 많이 들었지만, 오아시스와 언니네 이발관, 두 밴드가 날 찾아왔다.

오아시스는 페이스북을 넘기다 자연스럽게 노래를 듣

게 되었다. 처음 들은 노래는 가장 유명한 노래, " Don`t look back in anger"였다. 가사는 무슨 말인지 전혀 몰랐었지만 노래, 그 소리 자체로 좋았다. 잠깐 스쳐 지나간 그 노래가 오아시스의 다른 노래를 접하게 했고 내게 문화적 충격을 주었다. 그 후로 오아시스의 노래는 언제 어디든, 날 따라왔다. 오아시스 노래 듣는다고 하면 모두가 그게 뭐냐고, 언제 적 노래를 듣냐고 그랬지만 전혀 부끄럽지 않았다. 오히려 정말 자랑스러웠다.

또 오아시스는 내가 기타를 사게 하는 이유가 되었다. 이 이야기는 뒤에서 더 자세히 하겠다.

언니네 이발관은 접하게 된 계기가 독특하다. 유튜브를 넘기다 어떤 노래를 듣게 되었는데 그 노래의 원곡을 찾다가 원곡이 언니네 이발관 노래라는 걸 알게 됐다. 처음들은 노래는 가장 유명한 노래 " 가장 보통의 존재"였다. 처음 들었을 땐 정말 좋다, 그런 느낌보다 가사까지 정말 이상했다. 간질간질하고 답답한 느낌. 가장 특별의 존재도 아니고 보통의 존재라니 이게 무슨 말인가 싶었다. 그 느낌은 그 노래 하나가 아니라 앨범

채로 들었을 때 해소되었다. 앨범의 노래와 노래 사이의 유기적인 연결 그 시작을 끊는 그 노래, 단순 좋다는 말론 모자랐다. 계속, 계속해서 듣고 싶었다.

그 생각은 결국 내 지갑을 열게 했다. 시내 지하상가 아무 음반 판매점에 들어가 언니네 이발관 어디 있어요?? 했다. 그렇게 하나 남은 그 앨범을 바로 사버렸다. 설렘을 가득 안고 시디플레이어를 켜서 시디를 밀어 넣는다. 재직…. 지지…. 직 소리와 함께 난생처음 시디플레이어로 듣는 그 노래, 역시 만족스러웠다. 소름 돋을 정도로. 그 노래는 그렇게 내 삶의 주제가 중 하나로 자리 잡았다.

.

이렇게 보니 내 음악 취향이 역행하고 있다. 중1 때까지만 해도 2020년대 노래를 들었는데, 점점 90년대 노래에서 요즘은 80, 90년대 한국 노래를 즐겨 듣는다. 이승철, 김광석, 토이, 여행 스케치, 이상은 등 부모님 세대의 노래다. 내가 그 시절에 살고 있진 않지만, 그 시절 노래들은 뭔가 낭만이 있다. 손 편지를 쓰며 밤을 지새우는 낭만, 삐삐를 보내며 답을 기다리는 낭만, 겪은 적은 없지만, 그 시절의 노래들로 그 시절을 그려본다.

165(X)165.5(O)

165cm
아닙니다.

모든 사람은 마음 한구석에 깊은 어둠을 하나씩 지니고 살아간다. 별거 아닌 것도, 그 반대인 것도 마음속에 묻고서 말이다. 그것을 보통 콤플렉스라고도 하는데, 내게 그것은 늘 키였다.

작년인가, 언제 한번 정형외과에 갔었다. 다리 x-ray를 찍었는데 의사 선생님이 잠깐 머뭇거리더니 입을 열었다. 무릎에 이거 보이냐고, 성장판 닫히기까지 얼마

안 남았다는 말이었다. 그땐 대수롭지 않게 넘겼지만 지금 보니 그 말이 영 말도 안 되는 소린 아니었던 거 같다.

165.5 이 숫자는, 그렇다. 예상했겠지만, 2년 넘게 유지 중인 지금의 내 키다. 항상, 늘 그래 왔다. 어려서부터 키에 대한 콤플렉스는 쭉 나를 따라왔다. 늘 인식하고 있었지만 크게 티를 내진 않았다.

날 때부터 2킬로급의 미숙아였고 지금까지도 쭉 저체중을 유지하고 있다. 이도 다른 애들보다 한 박자 늦게 나고 걸음마도 느렸다. 초등학교 입학할 땐 몸무게가 20킬로도 안 되었고 초6 때까지 150을 넘기지 못했다. 지금도 키순으로 줄 설 때면 맨 앞은 내 차지다. 몇 년 전까지만 해도 10시 전에 잠을 청할 수밖에 없었다. 밤 11시, 12시를 넘겨 정신이 말똥말똥 해지면 그다음 날의 하루는 버려졌다. 그래서 밤을 새워 본 적도 단 한 번뿐이다. 그만큼 작고 마르고 연약한 아이다.

아마 이런 유전자는 아빠 쪽에서 많이 왔을 거다. 머리부터 발끝까지 아빠를 빼다 박은 나니까. 아빠를 닮아 나쁜 눈과 아토피성 피부, 작은 키, 두툼한 입술에 급한 성격까지 반가운 건 별로 없지만 나쁘지 않, 아니다. 좀 나쁘긴 하다. 그래도 달리 말하면 내가 아빠로부터 비롯되었다는 걸 의미했으니까 나쁘지만은 않았다.

덜컹거리는 전철을 타고

이번 역은 감삼역입니다.
감사합니다.

늘 전철에 대한 무한한 동경이 있었다. 예전에 살던 동네는 버스는 많이 다녔지만, 전철을 타려면 1, 2킬로는 가야 해서 꼭 타야 하는 것이 아니면 잘 타지 않았다. 어쩌다 한번 지하철을 탈 때면, 설레는 마음으로 올라타 어두컴컴한 지하철의 창문을 바라볼 때 비치는 내 모습을 바라보다가 아쉬움이 가득 찰 때쯤 내렸다. 겨우 계단 몇 개 내려간다고 그런 신비로운 공간이 펼쳐진다니, 이 얼마나 흥미로운가. 별거 아니지만, 그때 내 가슴은 미친 듯이 뛰었다.

대구엔 1호선, 2호선, 3호선이 있는데 3개의 전철은 내게 제각각 다른 느낌을 줬다.

먼저 1호선은 우중충한 게 괜히 어둡고 오래된 느낌이 들었다. 색깔은 빨간 게 마음에 들지 않았고 지나치는 역들도 옛날 집과는 거리가 있었다. 물리적으로 봤을 때 많이 멀진 않았지만, 역으로 가려면 울퉁불퉁하고 후미진 길로 가야 했기에 심리적으로 상당히 멀게 느껴졌다. 거기다 중앙로 빼고는 사실상 전부 나의 활동 반경에 포함되지 않는 곳들이었다. 그렇기에 1호선을 구성하는 역들은 하나같이 마음에 들지 않았다.

2호선은 1호선보다 좋아하는 호선이다. 깔끔하고 세련된 느낌에 자연 친화적인 초록색도 마음에 들었다. 몇 년 전부터 친한 친구 중 한 명인 친구 K를 만날 때마다 2호선을 타며 놀고 있다. 종점까지 가보기도 하고 정말 많은 곳을 돌아다녔다. 그 덕에 2호선은 가장 익숙하고 편안한 노선이 되었다. 현재 사는 집이 1호선

바로 앞이라 1호선을 더 자주 타지만, 가끔 아무 생각 없이 2호선을 타던 그때가 그립다.

3호선은 1, 2호선과 달리 지하철이 아니라 지상철이다. 3호선을 처음 탔을 때 정말 새로웠다. 전철이 이렇게 재밌어도 되나 싶었다. 알다시피 지하철은 지하를 달리기 때문에 창밖을 바라다보아도 까만 배경의 연속이다. 그러나 지상철은 말 그대로 지상을 달리기에 배경은 계속 바뀐다. 강변을 지날 때면 푸른 강가가, 다닥다닥 붙어있는 아파트 사이를 지날 때면 뿌예지는, 생동감 넘치는 창문은 날 중독 시키기 충분했다. 팔달 대교 위를 지날 때 보이던 금호강은 얼마나 아름답던지 모른다.

그 후로는 좀 돌아가는 길이여도 지상철을 일부러 타고, 할 일 없을 땐 지상철 타는 일이 일상이 되었다. 이 정도면 나라에서 훈장 하나 받을 만하지 않을까?

이러면 안 될 거 아는데, 또 라면

사천 짜파게티
먹고 싶다.

내게 특별한 추억의 라면이 하나 있다. 작년에 친구들과 영어 학원을 함께 다녔었다. 그 학원은 수업 시간 중간에 10~15분 정도 쉬는 시간이 있었다. 그때마다 그 친구들과 학원 앞 편의점에 가서 컵라면에 아이스크림까지 순식간에 해치우는 루틴이 일상이었다.

그때부터인지 언제부터인지, 라면을 먹는 빈도가 확 늘었다. 일주일에 한두 번 먹던 게 서너 번 먹게 되고 지금처럼 자주 먹게 됐다. 라면 많이 먹으면 안 좋다고들 하지만 맛있는 건 정말 어쩔 수 없다.

초등학생 때는 너구리 소 컵, 진라면 소 컵을 주로 먹었다. 거의 그것만 먹었다. 새로운 건 시도조차 해보지 않았다. 지금은 정말 다양한 종류의 라면을 먹는다. 신상품들도 때때로 시도해 보는 데 성공한 적은 별로 없다. 흐린 날엔 깔끔한 육개장 소 컵을 먹고, 비가 온 다음 날엔 얼큰한 신라면을 먹고, 더운 날엔 시원한 비빔면을 먹고, 추운 날엔 참깨 라면을 먹었다. 국물 라면 먹은 다음 날엔 볶음 라면 먹는 식으로 다양하게도 먹었다.

라면을 많이 먹다 보니, 라면 끓이는 것 하나는 누구에게도 꿇리지 않는다. 특히 신라면이나 진라면 같은 얼큰한 라면은 특히 자신 있다. 내 비법은 어디서 본 듯한 피시방 라면 레시피지만, 그래서 더욱 맛있다.

물을 정량 맞춰 올리고 건더기 스프와 분말 스프를 털어 넣는다. 물이 끓으면 면을 넣는다. 때에 따라 면을 스프와 함께 넣기도 하는데, 뭐 큰 차이는 못 느꼈다. 면이 거의 다 익으면 건져서 그릇에 덜어 넣고 달걀을 까 넣는다. 달걀이 익으면 국물과 함께 미리 덜어놓았던 면에 붓고 후추와 고춧가루, 대파를 살짝 넣는다. 이렇게 완성한 라면은 정말 맛있다. 아빠가 인정한 레시피이다.

요즘 편의점에 가면 얼마 전까지 850원이던 육개장 소 컵이 1,000원을 넘어가고 1,500원이던 불닭볶음면은 1,800원이다. 경기가 안 좋다, 물가가 오른다, 하는 말 많이 들었지만 이렇게 빨리 직면하게 될 줄 몰랐다. 이런 거 따위 적당히 모르고 살아가고 싶었는데 이렇게 일찍 알게 되다니, 아쉽다면 정말 아쉽다. 이미 때가 탈 때로 탄 나지만 이 정도 순수함은 잃고 싶지 않았는데 말이다.

뜨거우니까, 여름

찜통더위 속의
만두가 되진 말자.

뜨거운 태양, 따가운 햇빛과 매미, 여름이다. 사계절 중에 가장 사랑하는 계절이다. 앞서 말했듯이 내가 살아가고 있는 대구는 정말, 정말 덥다. 괜히 대프리카라고 불리는 것이 아니다.

습한 날씨는 정말 지치지만, 그 덕에 겨울 동안 붉게 흉이진 피부도 뜨거운 햇살을 만나 사라진다. 정말 잠시지만, 잠시라도 사라진다는 건 나로서 정말 행운이다.

이런 계절이니 난 더더욱 즐겁게 지내야 할 의무가 있다.

여름맞이를 위해 일찌감치 노래로 준비한다. 히사이시 조의 "summer" 여름의 상징 중 하나다. 눈 감고 침대에 누운 채 이 노래를 듣노라면 드넓은 풀밭과 푸른 하늘, 바람에 나부끼는 긴 생머리의 그녀가 눈앞에 그려진다. 아무리 손 뻗어도 닿을 순 없겠지만, 달콤한 입맞춤을 떠올리곤 한다.

여름엔 제철 과일을 마음껏 즐겨야 한다. 복숭아와 수박은 꼭 먹어야 한다. 이마트에서 사 온 수박을 썰어서 냉장고에 넣어두었다가 그다음 날 아침에 꺼내먹는 거다. 먹다 보면 씨가 눈에 띄지만, 신경 안 쓴다. 씨도 씹어 먹으면 은근히 별미다. 이렇게 먹는 게 지겨워질 때면 요구르트처럼 얼려도 먹는다. 두어 시간 정도 냉동실에 넣어 두면 딱 먹기 좋게 언다. 너무 딱딱하지도 않고 너무 무르지도 않다. 무더운 밤 정자에 걸터앉아 먹는 수박은 여름 그 자체다.

복숭아는 수박보다 복불복이 좀 심하다. 어떤 건 이가

부러질 만큼 딱딱하고 어떤 건 입에 들어가자마자 녹을 만큼 부드럽다. 어떤 건 정말 달고, 어떤 건 시큼하고, 단맛이라곤 하나도 없다. 이런 복숭아도 맛있는 걸 고르면 정말 맛있다. 하얀데 살짝 붉은빛이 도는 복숭아를 입에 넣고 한입 베어 문다. 흘러내리는 과즙이 팔을 따라 흘러가도록 내버려 둔다. 복숭아는 이렇게 먹어야 한다. 이게 내가 여름을 즐기는 하나의 방식이다.

우리나라의 여름은 종종 장마라고 불리는 큰비가 내린다. 하늘에 구멍이라도 난 것처럼 미친 듯이 비가 내리는 날이면 밖에 나가 비를 맞는다. 우산 따윈 던져두고 물웅덩이를 발로 밟고, 바닥에 냅다 드러눕는다. 비가 온몸을 적신다. 안경이 젖어가면서 흐릿해지는 시야, 온몸을 덮는 시원함, 이거 나름대로 낭만이 넘친다. 아무 생각 없이 이렇게 하고 나면 감기 걸리는 건 무조건 이지만, 뭐 어때, 이게 여름이다.

또 여름이면 물놀이는 필수다. 바다는 못가더라도 집 앞 신천 정도는 가줘야 한다. 어렸을 땐 지금보다 물놀이를 더 자주 갔다. 가까운 신천 물놀이장, 스파밸리부터 경주에 단양에 거제까지 많이도 갔었다.

많은 곳을 갔지만, 거제 바다는 정말 기억에 남는다. 바다를 가려면 최소한 경주, 포항 아니면 부산 정도는 가야 하기에 대구에 사는 나에게 바다는 꽤 특별하다. 바다에 가려면 최소 1, 2시간은 소요된다. 담배 쩐내로 차 있는 아빠 차에 올라타 간식을 까먹으며 그 시간을 보낸다. 많은 바다 중에 가장 기억에 남는 곳은 거제다.

거제에 가면 몽돌 해수욕장이 있다. 몽돌, 발음이 정말 몽글몽글하다. 발음처럼 이 해수욕장엔 모래 대신에 둥근 돌들이 깔려있다. 이 돌들로 인해 평범한 해수욕장에 특별함이 추가된다. 이 많은 돌을 보면 하나쯤 가져가도 아무도 모르지 않을까 하는 생각이 든다. 사실, 이 해수욕장 몽돌 말곤 딱히 특별한 건 없었다. 기억에 남는 것도 몽돌뿐이고, 그런데도 기억에 남는 건 역시 그 돌이 내게 마법을 건 게 아닐까?

나의 안경들에게

부러졌다
붙였다 다시

영어론 glasses, 사전적 의미로는 시력이 나쁜 눈 위에 걸치는 대게 유리로 된 물건을 말한다. 안경은 내게 팬티나 마찬가지다. 필수적이다. 집에서든 밖에서든 늘 착용하고 잘 때나 씻을 때 아니면 웬만해선 벗지 않는다.

안경이 부러져 앞을 제대로 못 보고 다닐 땐 인대가 늘어나 깁스하고 다닐 때보다 훨씬 답답했다. 인대가 늘어나도 걸으려 하면 얼마든지 걸을 수 있지만, 안경의 경우는 상황이 좀 다르다. 아무리 눈을 찌푸려도 가시거리는 크게 달라지지 않는다.

안경인들은 서로의 이런 불편을 잘 알기에 안경 가지고 장난을 잘 치지 않는다. 하나 비안경인들은 이에 대한 배려가 부족하다. 가끔 안경을 가지고 도망간다던가, 지문 자국을 남긴다거나 하는 장난을 친다. 이런 건 안경 인들에게 심한 장난이다. 나처럼 안경 벗었을 때 가시거리가 1M가 채 안 되는 사람에겐 더하다. 안경을 벗으면 코앞에 있는 글도 읽을 수 없을 정도다.

처음 안경을 쓰게 된 건 2015년이었다. 초1이 끝나갈 때 갑자기 멀리 있는 것이 흐리게 보이기 시작했다. 그렇게 처음 가게 된 안과는 마냥 신기했었다. 범어네거리 쪽에 있는 대형 안과에 갔었는데 여기저기 꽂혀있는 만화책에 검사받는 과정도 재밌기만 했다. 그땐 거길 매년 가게 될 줄 몰랐을 거다.

안경 쓰기 전엔 안경 쓰는 것이 막 멋있고 좋은 건 줄 알았다. 그래서 안경 쓴 것처럼 손가락으로 안경 코를 올리는 시늉을 하곤 했다. 그땐 몰랐지만, 안경의 불편한 점은 한두 개가 아니다. 겨울철에 실내로 들어갈 때면 김이 서리고, 수영장에 갈 때면 일행을 잃어버리기 일쑤다. 걸핏하면 태는 휘어버리고 알은 빠져 버린다.

처음 쓸 때는 눈이 많이 나쁘지 않아서 멀리 볼 때만 가끔 쓰곤 했다. 그게 문제였는지 어느새 내 시력은 급격히 나빠지기 시작했다.

그때부터 거의 매년 안경을 바꿔 왔다. 두껍고 검은 뿔테에서 시작해서 타원형의 고무 재질 안경도 써보고 원형 안경도 쓰다가 다시 뿔테로 돌아왔다.

작년에는 뭐 문제라도 있었던 건지 1년 동안 네 번이나 안경을 바꿨다. 체육 시간에 공에 맞아서도 갈고, 친구랑 부딪혀서도 갈고, 가만히 있었는데 부러져서도 갈았다. 아마 작년 1년 동안 안경에만 돈을 최소 30만 원은 썼을 것이다. 엄마한텐 정말 미안하지만, 고의는 절대 아녔다. 올해는 제발 이 안경이 1년을 버텨줬으면 한다.

HOME SWEET HOME

집 에

착 붙어있고 싶다.

학교나 학원, 어디든 밖에 나가면 배고파, 몇 시야, 집 가고 싶다. 이 세 말을 입에 달고 다닌다. 그럴 때마다 주변에서 집에 꿀 발라놨냐고 하는 말들을 하곤 한다. 그만큼 집은 언제나 그립다. 모두가 그렇게 생각하겠지만, 편안하고 포근한 장소다.

일과를 끝마치고 집에 갈 때면 익숙하게 현관 비밀번호를 누르고 들어간다. 마스크와 양말, 겉옷을 벗어 던진 체 냅다 침대에 드러눕는다. 집에선 체면이고 뭐고 생각할 필요가 없다. 밖에서 입던 옷을 입고 침대에 눕는 걸 엄마는 그다지 좋아하지 않지만, 이 정도는 해도 된다. 내가 집에 왔고 긴장을 풀어도 된다는 걸 침대에 누움으로 완전히 느끼는 거다. 방문을 닫고 침대에 누운 채 노래를 듣는다. 이 시간은 아무도 방해할 수 없는 나만의 피난처다. 빠르게 흘러가는 시간도, 방문을 두드리는 동생도 이걸 막을 수 없다. 어떤 미디어를 보고 어떤 게임을 하고 어떤 사람과 연락하고 그것들, 내 방에서만은 자유롭다.

집마다 특유의 냄새가 있다. 섬유 유연제 냄새라고들 하지만, 난 그렇게 생각하지 않는다. 그 집에 스며든 사람 사는 냄새라고 생각한다. 할머니 집에 가면 애틋한 냄새가, 오래된 친구의 집에 가면 편안한 냄새가, 우리 집에 가면 포근한 냄새가 난다. 그 냄새로 그 집들을 기억한다. 냄새를 떠올리며 그 집은 어땠는지, 그 사람은 어떤 사람이었는지를 그린다. 그 사람이 다시 볼 수 없는 사람이라면 그 냄새를 떠올릴 때, 정말 구슬프다.

우리 집은 이사를 몇 번 가지 않았다. 살면서 딱 2번,

첫 번째 이사는 같은 아파트 다른 동으로 이사를 했고, 2번째 이사는 지금 학교 근처로 그렇게 이사하기 전 집에서 5년 처음 이사한 집에서 10년, 자그마치 만 15년이 넘는 평생의 시간을 한동네에서 살아왔다. 갓난아기 때부터 중학교를 졸업 할 때까지, 정말 많은 일이 있었다. 그 동네는 눈을 감고도 정말 모든 길이 보인다. 집 앞 공원, 유원지, 학교 가는 길, 큰길부터 나만 아는 지름길까지 그 모든 길이 생생하게 보인다. 지금은 그 모든 길이 추억이 되었지만, 종종 꿈에 나오곤 한다. 정말 그립다. 정말로 많이.

손목시계

무섭더라
정말

얼마 전, 시험을 앞두고 수능용 손목시계를 하나 샀다. 10시 10분으로 맞춰져 있는 시계, 포장을 뜯고 시곗바늘을 돌려 시간을 맞춘다. 조금씩 조금씩 지금 시각과 같도록 돌린다. 초 단위까지 맞춘 후 딸깍, 마침내 단추를 누른다. 째깍, 째깍하는 소리가 쉴 새 없이 울린다.

혼자가 아니었다면 듣지 못했을지도 모르는 작은 속

삭임이 내게 닿은 그 순간, 온몸에 소름이 돋았다. 시간이 흘러가는 것을 아무도 걷잡을 수 없다고 말하는 듯, 나를 비웃는 듯, 복잡한 감정이 벅차올랐다. 난 왜 사는 거지? 다시 태어난다면 지금과는 달라질까? 답할 수 없었다. 답답했다. 붙잡고 싶다. 아무것도 하기 싫어졌다. 베개에 얼굴을 파묻은 채로 소리 지르고 싶어졌다. 오늘은 아무래도 일찍 자는 게 좋을 것 같다. 슬픔이 나를 더 적시기 전에.

1+1=5

엄마 아빠
존경합니다.

대부분의 성장기의 아이는 그들의 양육자, 즉 부모에게 엄청난 영향을 받는다. 나의 경우에도 그랬다.

엄마, 아빠, 외가, 친가 모든 가족, 친척이 기독교였기에 나 또한 모태신앙으로, 어려서부터 자연히 교회에 가게 됐다. 믿고 안 믿고의 여부를 떠나서 교회는 심신으로 안정을 주는 장소다. 예배도 찬양도 무슨 말인지 잘 모를 때가 많기에 더욱 그렇다.

교회에선 아무도 성적순으로 순위를 매기지 않고 성적으로 겨루지도 않는다. 그렇기에 가끔 꾸준히 보는 교회에서의 인간관계는 꾸준할 수밖에 없다. 우연과 운명, 혈연으로 구성된 가족과는 상당히 결이 다르다.

우리 가족은 엄마, 아빠부터 나, 위론 누나 밑으론 동생까지 총 5명으로 구성된 요즘 시대에 흔치 않은 다자녀 가정이다. 5명은 당연히 제각각 정말 다른 사람이다.

아빠는 늘 큰길 건너에 있는 마트 같은 사람이다. 마음만 먹으면 가까이 갈 수 있지만, 왠지 멀게만 느껴져 다가가기에 망설여졌다. 정말 미안하지만, 아빠는 부담스러웠다. 난 아빠와 너무 닮은 사람이기에 더더욱 그랬다.

아빠는 아침 일찍 나가고 밤늦게 들어오는 전형적인 한국 가장이었다. 자라면서 아빠와 심적인 거리는 멀어질 수밖에 없었다. 아빠와 나누는 대화는 대부분 짧다. 일어나셨어요, 다녀오세요, 오셨어요, 안녕히 주무세요. 이 네 마디가 대부분이다. 사랑한다는 말을 쉽게 내뱉는 나지만 아빠한테만은 어려웠다. 오글거리고 쑥스러웠달까?

이런 내 마음을 알았는지 몰랐는지 아빠는 술만 마시면 나를 불렀다. 아빠가 간만에 술을 마신 날이면, 꼭 자정쯤 전화가 온다. "아들 뭐해? 아빠 곧 간다. 홈마트 앞으로 데리러 나와." 이런 식이었다. 아빠 목소리로 어렴풋이 술 냄새를 맡을 수 있다. 투덜 대면서도 늘 아빠를 데리러 나갔다. 늘 나가는 이유 나갈 때마다 간식을 사줬기 때문도 있었지만, 아빠가 장남으로 나를 믿는다는 것에 있었다.

평소에도 아빠는 '장남'하고 나를 부르곤 하는데, 나를 믿고 의지한다는 느낌이 좋았다. 어쩌면 그래서 아빠를 더 부담스럽게 느꼈을지도 모른다. 그래도 뭐 어쩔 수 있나, 자랑스러운 우리 아빠인걸.

엄마는 아빠와는 정말 정말 다른 사람이다. 앞서 말한 아빠가 큰길 건너 마트라면 엄마는 편의점 같은 사람이다. 그것도 집 바로 앞의 편의점. 정말 편하고 가깝게 느껴지는 그런 사람이다.

아빠는 일 때문에 늘 바빠서, 비교적 엄마와 함께 보내는 시간이 더 많았다. 워낙 예전부터 그렇게 지내와서 엄마와는 단둘이 보내는 시간도 어색하지 않았다.

외적으론 엄마와 그다지 닮지 않았지만, 엄마는 내 삶에 엄청난 영향을 준 사람이다. 엄마는 타고난 성격이 따듯하고 인내심이 크고, 책을 사랑하는 사람이다. 하나부터 열까지 엄마로부터 많은 것을 배웠다.

머리말에서 언급했듯이 이런 엄마 밑에서 나고 자란 나로서 책은 정말 어릴 때부터 접해 왔다. 몇 년 전까지만 해도 책을 하도 많이 빌려 책 읽는 가족상을 받을 정도였다. 지금은 그 정돈 아니지만, 여전히 책은 늘 함께하고 있다.

또 엄마는 화도 별로 안 내고 잔소리도 적게 하는 편이다. 내가 뭘 해도 별다른 터치 없이 웬만해선 알겠다고 해주고 늘 내 편을 들어 주었다. 그 덕에 엄마한텐 늘 부담 없이 고민을 털 수 있었다. 경험과 연륜에서 나오는 조언이 큰 도움이 되었다.

다음 생 같은 것을 잘 믿는 편은 아니지만 만약 정말 만약 있다면, 그때도 내 어머니가 되어 주세요.

누나는…. 2살 차이가 나는데, 나와 정말 상극이다. 가끔은 도움이 되고 정말 잘 맞지만 안 맞을 때는 정말 피 터지게 싸우는 그런 사이다. 어렸을 때부터 지금까지 정말 꾸준히 싸워오고 있다. 지금은 좀 덜 싸우는 편이지만, 한창 싸우던 2019년, 초등학교 6학년이던 그날은 아직도 잊을 수 없다.

내가 기억하기로, 여름이었다. 하루는 학교 마치고 거실에서 쉬고 있었는데 누나가 말을 걸었다. 인강 들어야 한다고 방에 들어가라는 거였다. 그 당시 우리 집에는 거실에만 컴퓨터가 있었다. 지금 나라면 그냥 들어가겠지만, 그때 난 알 수 없는 오기라도 있었는지 대들었다. 그것도 계속. 그렇게 말다툼이 몸싸움으로 번졌고, 난 문까지 잠근 채 방으로 도망쳤다. 누나도 어지간히 화가 났는지 문을 걷어찼고 결국 우려하던 일이 터졌다. 문이 그대로 뚫린 것이다. 그때 문이 생각보다 약하다는 것을, 누나가 생각보다 강하다는 것을 느꼈다. 그 후 된통 혼나고 지금까지도 그 정도로 크게 싸우는 일은 없다. 그날 문이 부서지지 않았다면, 누나와 내가 지금처럼 지내고 있을까?

마지막으로 3살 차이가 나는 동생은 나와 정말 다르다. 겉모습부터 성격까지 완전 다르다. 난 아빠를 닮았고 동생은 엄마와 판박이다. 누나처럼 자주 싸우지 않고 오히려 사이가 좋은 편이다.

난 일단 저지르고 보는 편이지만, 동생은 정반대다. 생각이 많다. 걱정이 많다. 그런 성격 때문에 동생이 가끔은 나보다 더 형 같기도 하다. 내가 사고를 칠 때면, 동생은 걱정돼서 못 살겠다고 제발 조심 좀 하라곤 한다. 철이 일찍 든 건지, 애늙은인지 모르겠지만 일찌감치 징그러워진 나와 달리 동생은 중학교 1학년인 지금도 여전히 귀엽다.

동생은 꼼꼼한 성격 때문에 공부도 상당히 열심히 한다. 동생이 성공할 거라 믿어 의심치 않는다. 제발 이대로만 커 줬으면 한다.

낭만 자전거

어디든지
갈 수 있다.

처음은 세발자전거였다. 그 색과 앙증맞은 모양새를 아직도 기억한다. 그 작은 자전거로 공원을 누비던 시절들도 기억한다.

초등학교에 올라가선 네발자전거를 탔다. 무릎을 몇 번 갈고 보조 바퀴도 갈았다. 그렇게 네발자전거를 졸업한 후 한동안 우유 배달 경품으로 받은 자전거를 탔다. 하나 그 자전거는 너무 무거웠고 구렸다. 그 때문에 자전거를 방치했고 그렇게 녹슬어 버렸다.

지금 자전거를 산 것은 3년 전, 코로나가 한창이던 2020년이었다. 그땐 지금은 상상도 못 할 정도로 코로나가 심했다. 마스크 벗는 것은 고사하고, 등교도 제대로 못 하는 상황이었다. 그런 상황에 당연히 여름휴가는 그림의 떡이었다.

그때 우리 가족은 하나의 대책에 도달한다. 여름휴가 비용으로 각자 사고 싶은 것을 사는 것이었다. 중학교 1학년이던 그때의 내가 가진 자전거라곤 앞서 말한 녹슬고 자물쇠마저 잃어버려 버리기 직전인 고물 자전거 하나뿐이었다. 그래서 자전거가 정말 갖고 싶었고 결국 하나 사게 되었다.

지금도 그렇지만, 그때 모험심에 가득 차 자전거로 여러 곳을 가보기를 원했다. 집 앞 유원지를 시발점으로 점차 목표를 넓혀갔다.

그다음은 수성못이었다. 아마 중1 여름 방학이었을 거다. 뜨거운 여름날, 신천을 달려서 도착한 수성못은 정말 좋았다. 낮이라 뷰가 엄청 좋지는 않았지만, 노력이 곧장 눈에 보이는 것이 만족스러웠다. 지금 내 기준으로는 상당히 가깝지만, 그때 기준으로는 정말 멀었기에 더 그랬다. 그 후 밤에도 자전거를 타고 수성못에 갔었는데, 그 분위기는 아직도 잊을 수 없다.

중1 때는 신천과 수성못에서 그쳤지만, 중2 땐 정말 미친 듯이 탔다. 머리가 제법 굵어져 무모한 도전도 해보기로 한 거다. 주변에 자전거 꽤 나 탄다는 친구들의 말을 듣고 목적지를 정했다. 강정보였다. 멀기도 멀지만, 뷰가 끝내준다는 말을 듣고 당장 실행에 옮겼다. 물 한 통 챙겨 바로 달려 나갔다. 신천을 지나 금호강을 지나 다리를 건너 도착한 그곳은 정말 감동 그 자체였다. 단순 전망이 좋아서도 있었지만, 힘들게 달려온 피로가 한순간에 풀리는 그 기분에 있었다.

한번 다녀온 그 후로 마음이 답답할 때면 강정보를 찾는다. 그 강줄기를 보며 내 마음도 풀리는 것만 같은 느낌이 들어 선지, 알 수 없지만 좋다면 그걸로 땡이다.

시험이 끝나면 어김없이 달려갈 거다. 그때의 낭만을 떠올리면서.

나 가을 타 나 봐

계절이
돌고 돌아

가을, 가을 하면 떨어지는 단풍잎과 가을의 고독함을 낭만적으로 생각하는 사람이 많다. 오죽하면 가을 타나 봐 하는 노래도 있을까. 그 사람들과 달리 내게 가을은 또다시 불편의 시작이다. 건조한 공기가 초록빛의 나뭇잎을 붉힐 때쯤이면, 내 피부도 슬슬 붉어지기 시작한다. 날씨보다 이것으로 가을이 찾아옴을 먼저 느낀다.

이것과 별개로 가을 날씨는 자전거 타기에는 최적이다. 너무 덥지도, 춥지도 않고, 말 그대로 딱 좋다. 자전거를 타고 단풍으로 가득한 경대를 지나갈 때면 맡을 수 있는 쌉쌀한 냄새는 가을 그 자체다. 단풍잎 위에 누워 천사 놀이를 하고 싶어진다.

가을의 진정한 매력은 날씨보단 추석에 있다. 추석은 설날과 어깨를 나란히 하는 명절 중 하나다. 우리 가족은 친척은 많은데 이상하리만큼 모이질 못해서 대부분 우리 가족과 할머니 할아버지 큰아빠 이렇게 늘 모이곤 했다. 그래서 우리 가족의 명절은 짧고 굵게 그리고 조용하게 끝났다. 친척이 많은 집이 부러울 때도 있지만, 조용히 넘어가는 명절은 가을처럼 잔잔하게 좋다. 음식 만드는 엄마를 돕고 할머니 할아버지 잠깐 뵙고, 그런 분위기였다.

그래도 잔잔한 가을보단 겨울이 좋다. 가을은 뭐랄까, 뭔가 약하다. 사람에 비유하면 맥없는 사람, 음식에 비교하면 평양냉면 같은 맛이다. 여름이나 겨울과 다르게 큰 매력 없이 슴슴하다. 난 아니지만 그런 맛으로 가을을 좋아하는 사람도 물론 있다.

가을의 존재는 곁에 있을 때보다 떠나보내고 난 뒤에야 더욱 잘 느껴지곤 한다. 간신히 대롱대롱 매달려있던 잎사귀들도 가을이 가시고 나면 사라진다. 원래 그랬던 것처럼.

지나간 추억을 아쉬워할 때면 가을의 나무들을 떠올린다. 원래 그랬던 것처럼, 원래 없었던 것처럼 생각하자고.

당연하지만 모든 것은 영원할 수 없다. 그렇기 때문에 지금 삶이 더 가치 있다.

영원할 수 없는 이 순간에 나는 뭘 하고 있는가. 잡생각으로 잠 못 이루는 가을밤, 내 마음과는 반대로 구름 한 점 없이 맑다.

기타 등등

일단

쳐봐

초등학교 다닐 때 3, 4년 정도 피아노를 배우곤 했다. 그렇게 배우곤 또 한참을 치지 않아 다 잊어버렸지만. 그렇다고 피아노를 배운 시간이 아깝다는 것은 아니다. 그건 그것대로 추억이었으니까.

그렇게 피아노를 포기하고 악기에 대한 모든 관심을 끄고 살던 어느 날 눈앞에 꼭 쥐고 싶은 악기가 하나 나타났다. 제목에서 봤겠지만 기타다.

기타에 관심을 가지게 된 것은 비교적 최근인 작년 말이다. 그때 난 록밴드 2개에 빠져있었는데 두 밴드 모두 기타를 메인으로 했었다. 그렇기에 (지금도 그렇지만) 기타 잘 치는 사람은 선망의 대상이었다. 또한 그들의 노래를 멋들어지게 치고 싶은 욕구도 있었다. 그러나 기타에 관심을 가지게 된 것은 이 이유만은 아니다.

작년 말 학교는 중학교 졸업을 앞두고 시험도 다 끝나 다소 자유로운 분위기였다. 그 분위기 틈에서 학교에 기타를 들고 오는 친구도 있었다. 그 친구가 내가 가지고 있던 기타에 대한 꿈에 기름을 부었고 결국 불이 붙었다.

붙은 불은 꺼질 기미조차 보이지 않았고 지갑마저 열게 했다. 나에게 당연히 돈은 얼마 없었고 엄마에게 사달라고 조를 만큼 어린애는 아니었다.

새 기타의 차선책은 중고 기타였다. 엄마의 만류를 뒤로하고 중고 거래를 통해 그렇게 원하던 기타를 얻고야 말았다. 그 중고 기타의 상태는 썩 좋지만은 않았다. 흠집도 많았고 색은 민트색에 크기도 앙증맞았다. 아무렴 어떤가? 가격이 3만 원이었는걸, 그 정도는 모두 감안

하고도 남았다.

c 코드를 짚는 것으로 첫 시작을 끊었다. (거의) 처음 잡아본 기타는 당연히 쉽지 않았다. 손도 무지 아팠고. 그러나 그런 요소들로 기타를 그만들 순 없었다. 기타 사는 것을 반대한 엄마에게 뭐라도 보여줘야 했고 나 자신과의 약속도 깨고 싶지 않았다.

하루에 2시간을 넘게 투자한 대가로 손가락의 굳은살과 함께 코드도 몇 개 얻었다.

특히 기타 초보자의 철옹성이라고들 하는 F 코드 (F 코드는 하이코드라고 불리는데 다른 코드와 달리 손가락 면으로 기타 프렛 하나를 통으로 꾹 누르는 코드다. F 코드를 연습하다 보면 손끝이 아닌 손가락 면에도 굳은살이 박이는 경험을 할 수 있다. F 코드를 배우다 기타를 때려치우는 사람이 정말 많다.) 를 성공했을 땐 얼마나 벅차올랐는지, 추운 겨울이었지만 머리부터 손끝까지 온통 뜨거웠다.

그렇게 막무가내로 입문한 기타, 시작한 지가 벌써 일 년 남짓 되어 간다. 아직도 물론 썩 잘 치진 않지만 매일 기타를 친다. 언젠간 그들처럼 멋들어지게 기타를 치고 싶으니. 노력할 뿐이다.

요리는 필수지

굽고 볶고

지지고 무치고

처음 요리에 관심을 가지게 된 것은 특이하게도 생존과 직결된 문제였다. 그다지 거창하진 않지만 말하자면 몇 년 전으로 거슬러 올라간다.

아마 초등학교 5학년, 2016, 2017년 언저리였을 것이다. 1월쯤 추운 겨울, 모종의 사유로 수술하게 된 누나와 집안의 살림과 가정일을 도맡아 하던 엄마는 누나의 곁을 지키러 병원에 남았다. 그 때문에 집엔 남정네 셋만이 남게 되었다. 초등학생 2명과 라면이 주특기인 성인 남성 셋이서 거창한 요리가 가당키나 했을까. 안타깝게도 주어진 선택지는 배달 음식과 냉동식품, 인스턴트 음식이 주였다. 그때 처음 맛본 냉동 볶음밥으로 요리를 배울 필요성을 인식했다. 요리가 멋있다던가, 어떤 요리사를 동경해서라기보다, 이런 끔찍한 음식을 먹을 바엔 굶는 게 나을 것 같다는 생각이 들어서였다.

엄마와 누나가 집으로 돌아오고 본격적으로 요리를 배우기 시작했다. 달걀프라이, 달걀찜, 달걀말이 같은 단순한 달걀 요리를 먼저 배웠다. 단순한 칼질 하나하나도 정말 재밌었다. 점점 실력이 늘어가는 것이 느껴졌기 때문이다.

그렇게 갈고닦은 실력을 써먹을 때가 찾아왔다. 때는 초등학교 6학년, 학교에서 팔공산으로 야영을 간 때였다. 팔공산 야영은 직접 밥을 해 먹어야 했다. 그때 거의 처음으로 부모님의 도움 없이 요리했을 것이다. 그다지 맛있지는 않았지만, 그때 만들었던 카레와 볶음밥의 뿌듯함은 아직도 잊지 못한다.

요즘은 기본적인 요리는 혼자서도 거뜬히 할 정도다. 이 정도면 자취해도 살아남을 수 있지 않을까?

크리스마스는 죽었다

휘황찬란한

불빛과 함께

어렸을 때는 나도 산타를 믿었다. 지금의 나로 썬 상상도 할 수 없는 일이지만, 불과 몇 년 전까지만 해도 그랬다.

일주일 전부터 원하는 선물을 포스트잇에 써놓곤 했다. D-1 크리스마스이브가 되면 설레는 맘으로 없는 굴뚝 대신 커다란 베란다 창으로 들어올 산타를 기대하며 잠을 청했다.

지금 생각해보면 산타할아버지도 미리 알아야 하지

않겠냐며 미리 갖고 싶은 선물을 생각해보라던 엄마의 말이 나의 동심을 지켜주려던 최소한의 장치가 아니었던가 싶다. 아무것도 모르고 어리기만 하던 그때의 내가 어쩌면 지금보다 더 행복했을 그것으로 생각한다. 절대 그때로 돌아갈 수는 없지만, 가끔 그 시절을 떠올린다.

제목에서 말했듯이 말 그대로 현재 나의 크리스마스는 죽어있다.

우리 가족은 연말이 되면 늦은 밤에 경대 북문 포장마차를 가곤 했다. 그게 우리 가족의 연례행사였고 난 그것만으로도 충분히 설레었다. (마지막으로 간 것이 5년이 넘어간다.) 그러나 산타가 없다는 것을 알게 된 후 크리스마스의 설렘은 달라졌다. 아무리 시내에서 커다란 트리를 보아도, 길거리에선 나오지 않는 캐럴을 들어도, 다음날이면 산타가 들렀다 갈 것만 같은 기대감은 전혀 없다. 기대감보단 오히려 허무함에 가깝다.

다시 크리스마스, 그 말만 들어도 설렐 날이 오기는 할까? 의문이다. 다시 그런 날이 온다면 눈물로 맞이할 텐데. 돌아가고 싶다. 정말로 많이

드디어, 겨울

핫팩보단
너의 손을 잡고 싶은걸

대구의 날씨는 정말 이상하다. 여름엔 무진장 덥고, 겨울엔 무진장 춥다. 그러나 그런 날씨 때문에 겨울을 더 기대하곤 한다.

겨울이 오면 겨우겨우 매달려 있던 잎새들도 다 떨어지고 앙상한 가지만 날 반긴다. 그 때문에 알게 모르게 쓸쓸해지곤 한다. 앙상한 가지가 슬프기도 하지만, 오히려 겨울을 더 겨울처럼 보이도록 하는 것 같다.

날씨 때문인지 겨울이 되면 잊은 줄 알았던 기억이

다시 떠오를 때가 있다. 미쳐 잡지 못했던 손이 떠오르는 날이면 괜히 울적해져 집에 쳐박혀 있고 싶어진다. 그렇다고 겨울이 슬프기만 한 계절은 아니다. 물론 밝은 면도 있다.

겨울의 밝은 면을 느끼는 법은 여러 가지가 있지만, 난 먹는 것으로 겨울을 느낀다. 겨울은 맛있는 것투성이다. 손톱이 누레지도록 까먹는 귤, 호호 불어먹는 붕어빵과 어묵, 아랫목에서 까먹는 군밤, 군고구마와 호떡 상상만 해도 입에 침이 고인다. 이와 함께 찾아오는 추운 날씨로 살이 찌는 것이 문제지만, 행복하다면 상관없다.

여름 더운 날씨와 비는 짜증 나지만, 반대로 겨울의 차가운 날씨와 눈은 정말 반갑다. 대구는 눈이 거의 오지 않지만 조금이라도 내려주면 감사하다. 작년에 아주 조금 눈이 온 적 있었는데, 얼마나 좋던지. 그 조금의 눈으로 눈사람을 만들고 눈싸움하던 기억이 추억으로 남아있다. 눈이 온다는 소식에 기뻐하면 아이고, 싫어하면 어른이라던데 난 아직 영락없는 아인가 보다.

한번 말했다싶이, 눈이 많이 안 오는 지역에 사는 나로썬 눈 많이 오는 지역이 부럽다. 손 붉혀 가며 만드는 눈사람은 감동 그 자체란걸, 알긴 할까. 아마 그들은 모를 것이다.

날이 추워져 두꺼운 옷을 껴입고 뒹굴거리고만 싶어지지만, 집에만 있을 순 없는 노릇이다. 내가 느끼는 겨울의 묘미는 겨울 자전거 라이딩에도 있다. 한겨울에 자전거를 타면 다른 것 보다 손이 정말 시리다. 그래도 입김 불어가며 자전거를 타면 정말 즐겁다. 찬 공기를 뚫고 도착한 그곳에 펼쳐져 있는 장관, 난 그것을 눈꽃의 꽃말이라고 정의한다.